El cuaderno secreto de Kate

Nadja
Julie Camel

Traducción: Javier Dávila

V&R
EDITORAS

Kate quiere ser escritora

Kate vive en **Londres**, cerca del río **Támesis**, con su mamá, su papá y sus dos hermanas, la mayor, Alison, y la menor, Lily.
Kate se siente un poco sola, entre la mayor a la que todos admiran y la pequeña consentida. Por suerte, hay algo que le apasiona: le encanta leer y decidió que, más adelante, será escritora.

Por la mañana, en el desayuno, se acuerda
de una palabra que leyó la noche anterior
y no entendió.

—Papá, ¿qué quiere decir "púrpura"? —dice.

Kate pone el **tocino** dorado a un lado del plato, para saborearlo después.
–Es un color, como rojo oscuro –le responde Alison con indiferencia.
Su papá la mira con orgullo.

A Kate no le gusta el tono con el que su hermana le contesta, pero le encanta el sonido de la palabra "púrpura".

Aprovechándose del descuido de su hermana, Lily, rápida como un rayo, toma del plato de Kate los trozos de **tocino** y se los devora.
–¡Mamá! –dice Kate indignada–. ¡Mira lo que hizo!
Como siempre, su mamá regaña vagamente a la pequeña y ahí termina todo.

Todos los días, Kate anota cuidadosamente
en hojas de papel todas las palabras que
pudieran servirle para la novela que quiere
escribir: la historia de "Katerina", una chica
desafortunada y con un gran misterio
en su vida.

Por las mañanas, inventa nuevas aventuras
de su heroína y se las cuenta a Olivia,
su mejor amiga, en el autobús que las lleva
a la escuela.

Pero en la tarde, cuando trata de escribir
su narración, todo se le enreda en la mente
y no puede componer frases hermosas.
Entonces, se contenta con anotar las palabras
que le gustan, para usarlas después.

–¿Así que es adoptada? –exclama Olivia esa
mañana, con los ojos redondos como platos.
–Sí –le aclara Kate–, y no sabe quiénes son
sus padres biológicos. Solo encontraron
un trozo de terciopelo púrpura en su cuna
cuando la recogieron.

Un cuaderno extraño

El domingo, la familia va al **mercado de pulgas de Portobello**, en donde se venden antigüedades. Alison encuentra siempre ropa increíble. Lily se entretiene con cualquier baratija de plástico. Su padre descubre libros raros y su madre, vasos o tazas decoradas. Pero Kate, por su parte, siempre vuelve con las manos vacías porque no logra decidirse por algo.

Sin mucho entusiasmo, recorre con
la mirada los objetos extraños que hay
en unos estantes.

–¿Te interesa esto? Te hago un buen precio,
si quieres –escucha de repente.

–No, yo... –balbucea Kate.

Y entonces mira el objeto que le extiende
la vendedora. Es un cuaderno encantador,
forrado de terciopelo...
–Púrpura –dice Kate, pensando en voz alta.
Al decir esto, la tela sedosa empezó a relucir
de un modo extraño.

Al volver a casa, nadie le pregunta
a Kate sobre sus compras. Piensan que,
como de costumbre, no encontró nada.
Curiosamente, ella no tiene ganas
de decirles que se equivocan. Será
su secreto. Este cuaderno es justo
lo que necesita para escribir su novela.

Todas las tardes, cuando se queda sola, admira las hermosas páginas en blanco que parecen estar esperándola. Pero ella todavía no se atreve.

"Empezaré mañana", se dice cada vez, y guarda el cuaderno.

Una mañana, una horrible sorpresa
la espera en la cocina. Su hermana mayor
tiene sus notas entre las manos y las lee
en voz alta a sus padres. Kate, enojada,
se lanza hacia su hermana.

–Querida... –le dice su mamá estirándose
para detenerla.

Kate le quita las hojas, las rompe en mil
pedazos y escapa a su habitación. Su mamá,
disgustada, trata de pedirle que no lo tome
a mal. Pero Kate no quiere escuchar.
Desesperada, mete su hermoso cuaderno
en el fondo de un cajón. Destrozaron
su sueño. Ya nunca escribirá.

En el autobús, Olivia se asombra
de que su amiga esté tan callada.

–¿Y Katerina…? –pregunta.

–¿Katerina? ¡Se murió! –le responde Kate
y se voltea hacia la ventanilla.

¡Feliz cumpleaños!

Tiempo después, cuando llega el día
de su cumpleaños, Kate mira indiferente
los preparativos. Su mamá horneó
un magnífico pastel, su papá trata
de hacerla reír con sus bromas, Alison
sonríe misteriosamente. Lily está inquieta
y no entiende por qué su familia
se comporta de forma tan rara.

Es la hora de los regalos. Kate,
con el corazón oprimido, abre el primer
paquete. Una excelente pluma dorada brilla
dentro de su estuche.

Kate mira sorprendida a su madre,
que le devuelve la mirada con una sonrisa
repleta de orgullo.
–Para mi hija, que será una gran escritora
–murmura y la abraza.

Con los ojos llenos de lágrimas, Kate
abre poco a poco todos los regalos.

Su papá le compró un diccionario
de bolsillo, para que pueda llevarlo a todas
partes. Alison, una encantadora blusa
con encajes.
—Una escritora tiene que vestirse elegante
—le asegura.

Lily pone en manos de Kate un perrito de plástico que hace ¡cuic! cuando lo aprietan.

–Y también tiene que jugar –le dice y corre a sus brazos.

Esa noche, sentada en la cama, Kate admira
sus regalos y va a buscar su cuaderno.
Acaricia la hermosa cubierta de terciopelo
con alegría y tristeza a la vez.

"No va a servir de nada –piensa y suspira–, porque no logro escribir mi cuento".

Entonces, ocurre algo increíble.
El terciopelo empieza a brillar más
que antes y el cuaderno se abre lentamente...
Maravillada, Kate ve que aparecen palabras
sobre las hojas blancas y luego frases.
¡Las frases cuentan la historia de Katerina
tal como la había imaginado! Kate toma
su pluma y continúa la narración sin dudar.
Se le ocurren las palabras exactas, se forman
las frases perfectas, justo como quería.

Olivia se pondrá contenta cuando por fin
se entere de lo que le pasa a la desafortunada
Katerina, aunque, de hecho, ¡no tan
desafortunada!

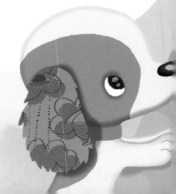

A jugar con Kate

¿Verdadero o falso?

La hermana mayor de Kate se llama Lily.

¿A quién le cuenta Kate las historias que inventa?

1. A su mejor amiga.
2. A su hermana mayor.
3. A su madre.

¿Por qué Kate nunca encuentra nada en el mercado de Portobello?

1. Porque es una chica difícil.
2. Porque no se decide.
3. Porque no se siente interesada.

Respuestas: Falso. 1. 2. 1.

¿Qué le regala su padre para su cumpleaños?

1. Un diccionario de bolsillo.
2. Une blusa con encajes.
3. Una pluma.

¿Cuál es el cuaderno de Kate?

1. 2. 3.

Respuesta: 2.

Encuentra la silueta que corresponde al perro de Kate:

1. 2. 3.

Respuesta: 3.

Dentro de la misma colección, podrás encontrar:

¡Tu opinión es importante!

Escríbenos un e-mail a
miopinion@vreditoras.com
con el título de este libro en el "Asunto".

Conócenos mejor en: **www.vreditoras.com**

 vreditorasmexico

 vreditoras

Título original: *Le carnet secret de Kate*
Dirección editorial: Marcela Luza
Edición: Margarita Guglielmini y Florencia Cardoso
Armado: María Natalia Martínez

© EDITIONS PLAY BAC, 14bis rue des Minimes, 75003,
Paris, France, 2015

© 2019 Vergara y Riba Editoras, S. A. de C. V.
www.vreditoras.com

México: Dakota 274, Colonia Nápoles
C. P. 03810 - Del. Benito Juárez, Ciudad de México
Tel./Fax: (52-55) 5220-6620/6621 • 01800-543-4995
e-mail: editoras@vergararriba.com.mx

Argentina: San Martín 969 piso 10 (C1004AAS)
Buenos Aires • Tel./Fax: (54-11) 5352-9444 y rotativas
e-mail: editorial@vreditoras.com

Primera edición: febrero de 2019

ISBN: 978-607-8614-32-5

Impreso en México en Editorial
Impresora Apolo, S. A. de C. V.
Centeno 150, local 6, Granjas Esmeralda,
Iztapalapa, C. P. 09810, Ciudad de México.